Ein Gruß
Deine Mutter.

Rainer Haak · Für dich – weil du ganz besonders bist

Rainer Haak

Für dich – weil du ganz besonders bist

Die Deutsche Bibliothek – CIP-Einheitsaufnahme

Für dich – weil du ganz besonders bist / *Rainer Haak. – 2. Aufl. –*
Lahr : SKV-Ed., 1995
(Für dich . . .; 93954)
ISBN 3-8256-3954-1
NE: GT

Für dich . . . 93 954
2. Auflage 1995

Gesamtherstellung:
St.-Johannis-Druckerei, 77922 Lahr
Printed in Germany 4291/1995

Für dich – weil du ganz besonders bist

Jeder von uns kennt einige Menschen, die für ihn ganz besonders sind. Und es ist gut, es diesen Menschen auch einmal zu sagen. Aber wie? Dieses Buch will es in Worte fassen. Es will sagen: Gut, daß es dich gibt!
Wahrscheinlich kennen wir kaum Menschen, für die alle hier aufgeführten Beschreibungen gelten. Aber »besondere Menschen« werden ihre persönlichen Texte bald entdecken.

Viele gute Möglichkeiten und Fähigkeiten trägst du in dir, und du tust eine Menge dafür, daß sie sich entwickeln und wachsen können. Und gleichzeitig bist du bereit, auch über dich hinauszusehen und offen für die Vielfalt des Lebens zu sein. Es macht Freude zu erleben, wie du immer wieder Neues in deinem Leben zuläßt und stets für eine positive Überraschung gut bist.

Wer dich näher kennenlernt, entdeckt bald sehr unterschiedliche Seiten an dir. Du kannst fröhlich und ausgelassen sein, aber auch ernst und nachdenklich. Du kannst auf andere zugehen und nach außen leben, dich aber auch zurückziehen und ganz bei dir selbst sein. Wie gut, daß du nicht festzulegen bist!

Menschen sind bei dir in guter Gesellschaft. Sie spüren es, daß sie von dir angenommen und geachtet sind. Sie erleben dich als mitfühlend und warmherzig – ohne daß du dich selbst dabei aufgibst. Deine Nähe ist aufbauend und wohltuend.
Bei dir läßt es sich leben!

Du hast die Gabe, nicht alles im Leben so furchtbar ernst nehmen zu müssen – auch nicht dich selbst und deine Versuche der Selbstverwirklichung, deine Ansichten und Meinungen. Du kannst über dich selbst lachen. Du kannst dich im Spiel vergessen und verlieren – und manches mit einem Augenzwinkern betrachten.

Du redest nicht nur von Freiheit, sondern lebst sie auf sehr überzeugende Weise. Du bist so frei, deinen eigenen Weg zu gehen. Du stellst deine eigenen Fragen und versuchst, den Dingen auf den Grund zu gehen. Und vor allem bist du bereit, das Glück auch dort zu suchen und zu finden, wo andere es nie erwarten würden.

Das Alleinsein ist dir ebenso vertraut wie die Gemeinschaft und das vertrauensvolle Miteinander. Du liebst deine Arbeit und genießt die Freizeit. Du kannst dich intensiv freuen und flüchtest nicht vor der Traurigkeit. Du kannst dich mitten im größten Trubel wohlfühlen und suchst immer wieder Zeiten und Orte der Stille. Du kennst und liebst die verschiedenen Seiten des Lebens.

Du kannst interessant erzählen und andere mit deiner Begeisterung anstecken. Du kannst Glück verbreiten und Freude schenken und hast immer wieder eine gute Idee. Manchmal sieht es aus, als würde eine unerschöpfliche Quelle des Lebens in dir sprudeln.
Aber es gibt auch Stunden, in denen du völlig kraftlos bist und dich auf die Suche nach einer anderen Lebensquelle machst.

Fürsorglich bist du und zuverlässig, liebevoll und aufmerksam. Deine Nähe tut gut und baut auf. Dort gibt es für niemanden einen Grund, sich klein und wertlos zu fühlen.
Es ist deine Größe, nicht ständig selbst groß sein zu müssen, sondern anderen die Möglichkeit zu geben, für dich groß und wichtig zu sein.

Es ist nicht deine Art, auf halbem Wege aufzugeben und umzukehren. Wenn es wichtig und sinnvoll ist, hältst du auch in größten Schwierigkeiten durch. Du stehst zu deinen Versprechen und Zusagen, auch wenn es dir einmal schwerfällt. Du gehst konsequent deinen Weg und läßt dich nicht vom Leben abbringen.

Immer wieder zwischendurch schenkst du dir selbst Zeiten der Stille, um nachzudenken, in dich zu »gehen« und zu dir selbst zu finden. Du meinst, nicht unentwegt reden und handeln zu müssen. Du hältst dich nicht für unersetzlich. Und in der Stille wachsen dir immer wieder neue Kraft, lebendiger Glaube und tiefe Liebe zu.

Mit dir kann man offen und ehrlich reden. Dir kann man von Glückserfahrungen, aber auch von Problemen und Sorgen erzählen. Du verstehst deine Mitmenschen, zumindest versuchst du es immer wieder. Du kannst zuhören und, wenn du darum gebeten wirst, manchen guten Rat geben.
Und das ist besonders wichtig: Was andere dir anvertrau-en, das behältst du in jedem Fall für dich.

Du bist jemand, der ständig dazulernt. Du bist stets bereit, Neues zu entdecken und zuzulassen. Du liebst es, zu experimentieren und ungewöhnliche Dinge zu tun. Du lernst dich immer wieder neu kennen, weil du es zuläßt, dich selbst neu und anders zu sehen. Du bist jeden Tag offen für die vielen guten Möglichkeiten des Lebens.

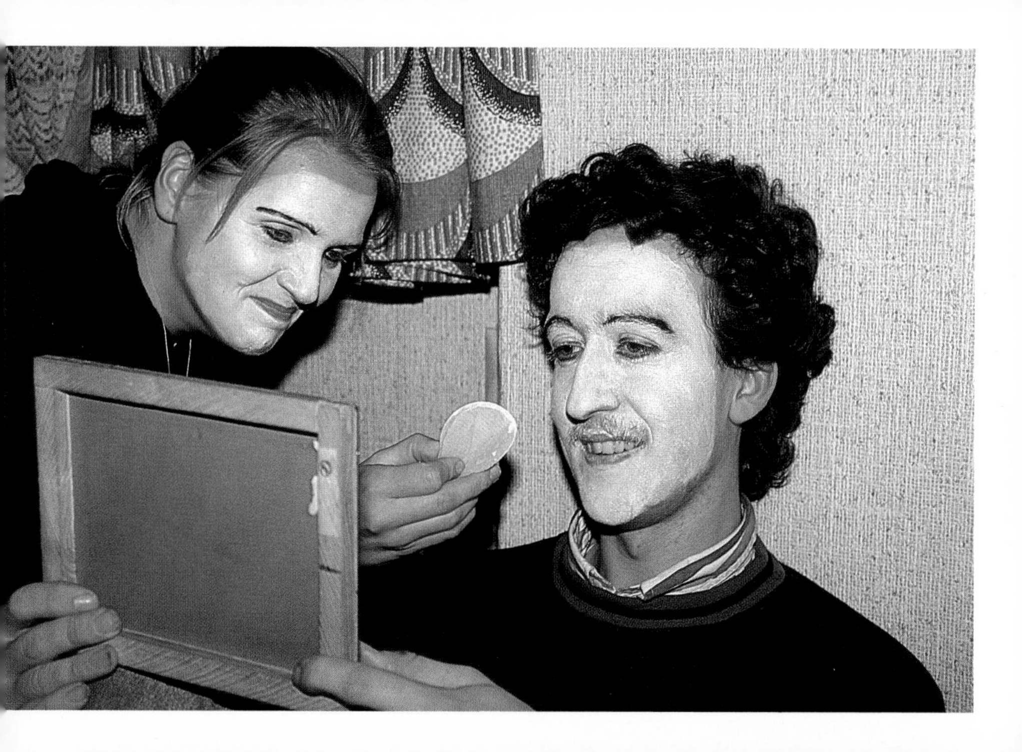

Bei aller Offenheit für Neues bist du doch beständig und zuverlässig. Du kannst das Alte – wenn es sich bewährt hat – achten und weiterentwickeln. Du stehst zu deinen guten Überzeugungen von gestern und sagst deine ehrliche Meinung, ohne auf Modetrends und Meinungsumfragen zu achten.
Mit dir kann man rechnen, auch wenn sich die Zeiten ändern.

Du weißt stets etwas mit deiner freien Zeit und deinem Urlaub anzufangen. Du kannst faulenzen und in der Sonne liegen, aber ebenso auch anstrengende Wanderungen unternehmen. Du kannst einen Ausflug lange und genau vorbereiten, aber auch spontan auf Fremde zugehen oder dich auf ungeplante Abenteuer einlassen. Du kennst kaum Langeweile, weil du das Leben liebst und die Gabe besitzt, aus jeder Situation das Beste zu machen.

Auch für Menschen, die dich schon gut und lange kennen, hast du immer noch etwas Geheimnisvolles an dir. Jede Begegnung mit dir schenkt Vorfreude auf die nächste. Jedes tiefe Gespräch wartet auf eine Fortsetzung.
So ist es immer wieder spannend, dich näher kennenzulernen und an deinem Leben teilzuhaben.

Du versuchst nicht, bei jeder Gelegenheit unbedingt im Mittelpunkt zu stehen. Du mußt nicht stets als strahlender Sieger auftreten. Du kannst es dir auch leisten, bescheiden im Hintergrund zu bleiben.
Du kannst andere wichtig sein lassen und dich mit ihnen über ihre Erfolge freuen. Du kannst sie bei ihren Bemühungen untersützen, ohne Angst haben zu müssen, selbst an Wert zu verlieren.

Du brauchst keine Reichtümer, um glücklich und zufrieden zu sein. Du kannst dich noch über sogenannte Kleinigkeiten von Herzen freuen. Du bist dankbar für jedes Zeichen des Lebens.
Oft gelingt es dir im Alltag, dein Glück dort zu finden, wo andere nur unzufrieden wären und sich über Langeweile oder ihr Schicksal beklagen würden.

Du läßt dich niemals von Problemen und Schwierigkeiten völlig gefangennehmen. Es gelingt dir stets, über die Sorgen des Tages hinaus auch die andere Seite des Lebens zu sehen. Und häufig kannst du anderen in ihren Ängsten und Sorgen nicht nur beistehen, sondern ihnen diesen weiten, neuen Blick vermitteln, der in den Sorgen auch die Möglichkeiten des Lebens sieht.

Ein Fest kann fröhlicher und interessanter werden, wenn du dazukommst. Du kannst die Stimmung aufheitern und andere zum Mitmachen ermutigen. Manch schwieriger Konflikt kann mit deiner Hilfe geklärt werden, weil du auf Menschen eingehen und zwischen ihnen vermitteln kannst. Und ein langweiliges Treffen kann mit dir schnell sehr lebendig werden . . .

Du stehst dazu, wie du bist. Du stehst zu deinen Stärken ebenso wie zu deinen Schwächen. Du weißt um deine Einzigartigkeit und deinen Wert und mußt weder dir noch anderen ständig etwas vormachen oder beweisen.
Und du kannst auch jeden anderen als einzigartig und wertvoll akzeptieren und achten.

Du meinst nicht, für alles im Leben selbst sorgen zu können. Du bist dankbar, wenn Gott seine Hand über dich hält und das Glück es gut mit dir meint. Du kannst dem Leben vertrauen und dem Menschen neben dir.
Du kannst dein Leben an jedem Tag als wunderbares Geschenk sehen und annehmen.

Bildnachweis: Umschlagbild: W. Rauch; S. 7: K. Radtke; S. 9 links: W. Matheisl; S. 9 rechts: W. Rauch; S. 10: P. Santor; S. 11: F. Jenne; S. 13: L. Hartmann; S. 15 links: G. Hettler; S. 15 rechts: W. Rauch; S. 16: K. Radtke; S. 17: P. Jacobs; S. 19: K.-H. Nill; S. 21 links: R. Haak; S. 21 rechts: B. Schellhammer; S. 22: K. Radtke; S. 23: R. Haak; S. 25: K. Radtke; S. 27 links: Bildarchiv Fiebrandt; S. 27 rechts: R. Haak; S. 28: K. Radtke; S. 29: E. Müller; S. 31: H. Janßen; S. 33 links: W. Matheisl; S. 33 rechts: W. Rauch; S. 34: K. Radtke; S. 35: B. Schellhammer; S. 37: R. Haak; S. 39 links und rechts: R. Haak; S. 40: N. Kustos; S. 41: K. Radtke; S. 43: P. Kleff; S. 45 links: Nägele/IFA-Bilderteam; S. 45 rechts: R. Haak; S. 46: E. Sadowski; S. 47: Heidt